first word search

Phonics Puzzles

Illustrated by
Steve Harpster

Sterling Publishing Co., Inc.
New York

10 9 8 7 6 5 4 3 2 1

Published by Sterling Publishing Co., Inc.
387 Park Avenue South, New York, NY 10016

Distributed in Canada by Sterling Publishing
c/o Canadian Manda Group, 165 Dufferin Street,
Toronto, Ontario, Canada M6K 3H6
Distributed in the United Kingdom by GMC Distribution Services,
Castle Place, 166 High Street, Lewes, East Sussex, England BN7 1XU
Distributed in Australia by Capricorn Link (Australia) Pty. Ltd.
P.O. Box 704, Windsor, NSW 2756, Australia

Manufactured in the United States of America

Sterling ISBN-13: 978-1-4027-4821-9
ISBN-10: 1-4027-4821-3

A Note to Parents:

Word search puzzles are both great teaching tools and lots of fun. After reading the word and spelling it out loud, have your child search for it in the grid. Then once it's found, have your child use the word in a sentence. This will help to reinforce vocabulary and grammatical skills.

Directions:

Each puzzle consists of a letter grid and a word list at the bottom of the grid. Each word can be found somewhere in the letter grid. The tricky part is that a word can appear reading forward, backward, up, down, or diagonally. There are many different ways to search for a word. A few hints: First look for words that go across; words that go down; or words with unusual letters in them, like Q, Z, X, or J. Once the word is found, draw a circle around it. It's also a good idea to cross out the words from the word list once they are found so that no time is wasted searching for the same word twice. Once all of the words have been found, check in the answer section to see if they are right. That's all there is to it!

Good luck and have fun!

Short A Sounds

T	T	T	F	M	H	P	M	T
N	L	P	L	K	A	B	T	H
C	D	P	C	N	Q	K	C	K
B	C	A	S	F	H	K	L	C
W	L	H	L	N	T	N	A	A
B	C	A	A	N	A	M	P	N
Q	G	J	T	T	B	L	F	S
Y	T	N	G	N	R	G	P	T
X	X	Q	P	C	A	B	M	Z

bath
black
cab
chat
clap

flag
man
plan
snack
snap

Long A Sounds

consonant plus silent "e"

B	A	K	E	T	M	L	T	P
M	L	A	T	E	L	A	E	M
M	T	Y	P	V	Y	M	D	L
L	E	M	A	T	A	C	L	E
E	M	M	E	R	N	N	P	E
V	M	K	F	P	B	L	Y	V
A	A	K	T	P	A	H	K	A
W	Z	X	B	T	K	T	M	C
Q	E	M	E	K	H	V	M	T

bake
cave
frame
late
made
maze
plate
tame
tape
wave

Long A Sounds

"ai"

```
X  C  L  A  I  M  R  K  X
L  X  I  H  T  N  I  A  P
Y  T  A  K  J  W  M  T  N
P  K  N  M  Y  M  I  I  L
M  F  S  T  A  L  A  P  L
L  R  A  I  T  R  L  R  M
K  I  N  I  B  V  L  M  A
B  G  A  M  N  M  M  Q  I
D  W  N  S  J  T  T  G  L
```

aim	main
brain	paint
claim	sail
faint	snail
mail	wait

Long A Sounds

"ay"

B	R	T	Y	T	X	R	O	N
L	D	P	A	Y	P	K	L	P
R	J	I	T	L	A	M	Q	L
R	A	P	S	Y	F	L	Y	A
Y	G	T	K	P	Y	A	M	Y
A	R	K	T	A	L	T	X	R
W	A	X	W	C	K	A	M	Y
A	Y	S	N	Q	L	T	Y	D
T	M	N	D	E	L	A	Y	K

away	okay
clay	pay
delay	stay
display	sway
gray	play

Short E Sounds

K	Z	C	W	P	S	Y	B	M
M	M	M	L	E	R	D	V	D
H	X	X	Y	T	M	D	T	M
E	X	H	L	K	F	E	L	L
L	L	E	E	X	R	T	L	M
P	B	L	D	L	T	S	E	R
H	L	R	E	R	L	S	Q	W
F	M	R	B	M	S	O	Y	D
M	X	F	T	Y	S	V	L	K

bed
belt
fell
hello
help

messy
rest
smell
teddy
yes

Long E Sounds

"ea"

L	J	H	F	T	D	Z	F	Q
M	K	R	M	L	A	L	R	L
K	R	A	E	H	E	E	N	A
G	E	A	L	C	R	A	M	E
T	P	L	H	A	M	F	N	S
L	N	D	Y	E	E	A	C	H
H	L	W	N	B	E	M	N	J
K	A	E	M	L	R	D	Y	N
R	M	V	C	X	F	T	V	V

beach	leap
clean	meal
each	meat
flea	seal
leaf	team

Long E Sounds

"ee"

R	Y	F	K	P	G	X	W	Y
F	J	E	P	N	E	E	S	L
K	E	H	M	S	P	E	K	M
W	E	M	E	L	E	M	H	M
T	Y	E	E	T	E	E	K	S
E	D	E	P	N	R	E	X	K
E	F	J	N	Q	C	T	T	P
H	C	F	E	E	T	H	Z	T
S	M	F	B	W	V	D	K	R

creep	seed
feel	seen
feet	sheep
keep	sheet
meet	week

Short I Sounds

Q	F	T	G	C	L	Y	F	N
K	F	N	K	T	X	Q	K	P
Z	I	I	B	X	K	L	I	Z
B	N	P	G	N	T	L	C	N
G	S	X	I	Q	F	F	K	N
K	F	H	B	H	L	I	I	T
Z	T	M	P	K	S	H	L	Z
G	I	P	L	L	C	Q	L	L
C	R	I	B	Y	M	D	Z	C

big
chin
crib
fill
kick
king
pig
ship
sniff
think

Long I Sounds

consonant plus silent "e"

G	H	N	Z	H	E	H	M	B
J	E	M	Z	L	J	L	N	P
D	Z	B	I	M	M	P	P	Q
J	I	M	T	L	R	T	X	M
F	S	R	J	I	I	K	V	I
E	T	K	C	E	D	N	L	C
K	P	E	V	P	T	K	E	E
I	R	I	L	X	K	I	T	E
B	F	F	R	T	E	D	I	R

bike
five
kite
line
mice

price
ride
ripe
size
smile

Short O Sounds

C	R	O	S	S	R	Y	T	H
Z	M	X	P	X	H	L	O	E
T	T	O	H	F	X	Q	P	L
Q	H	V	P	O	P	K	S	T
C	N	O	Y	X	X	G	J	T
P	T	C	L	P	L	F	F	O
S	K	Q	D	O	P	G	T	B
Q	N	R	S	O	X	O	K	N
L	T	T	J	D	G	P	P	Q

bottle	lost
chop	off
cross	poppy
dog	spot
fox	stop

Long O Sounds

consonant plus silent "e"

K	Y	N	X	W	E	R	X	E
E	L	O	P	F	N	B	V	B
H	E	D	H	O	W	O	O	M
H	D	Y	T	W	T	M	Z	R
M	O	E	M	S	K	R	E	E
R	C	S	N	R	J	M	M	K
L	K	Y	E	F	O	B	G	O
N	D	T	V	H	K	L	T	P
H	O	P	E	N	E	Z	D	S

code
home
hope
hose
joke

note
pole
robe
spoke
stove

Long O Sounds

"oa"

L	Q	Q	R	C	T	T	X	H
K	Z	L	K	L	C	L	V	T
T	B	O	R	A	V	K	Y	L
A	R	A	M	A	O	R	N	M
O	P	F	D	G	R	S	H	G
B	A	A	Q	O	O	C	T	W
C	O	N	A	D	A	A	K	P
T	S	D	C	O	A	T	L	K
T	F	P	C	D	B	V	Y	N

boat	road
coach	roam
coat	soak
goal	soap
loaf	toad

Short U Sounds

M	S	U	N	N	Y	Y	D	K
K	K	J	C	Q	D	N	Y	T
C	C	H	X	D	M	M	M	T
U	T	U	U	Q	E	T	M	W
P	Z	B	T	L	L	B	U	G
F	L	B	U	S	B	G	Y	D
M	L	C	C	V	B	U	K	W
Q	K	V	Z	M	U	L	Z	X
Y	P	P	U	P	B	W	R	Z

bubble	luck
buddy	puppy
bug	stuck
buzz	sunny
cup	yummy

Long U Sounds

consonant plus silent "e"

M	F	L	U	T	E	V	Z	M
Y	E	D	U	R	B	E	H	U
Y	Y	B	Z	G	P	B	B	L
B	T	Y	E	R	T	U	X	E
K	B	T	U	H	K	T	Y	H
K	U	N	N	E	U	T	V	E
C	E	G	T	J	L	G	N	B
V	M	M	H	L	T	U	E	U
L	Z	B	F	W	T	X	R	C

cube
cute
flute
huge
mule

prune
rude
rule
tube
tune

OO Sounds
as in "book"

B	M	J	G	C	H	V	K	T
H	F	J	R	K	R	O	K	L
K	B	K	N	K	O	O	O	L
L	O	H	O	T	T	O	O	H
V	C	O	O	K	K	C	B	K
K	R	O	R	O	M	L	R	W
B	M	K	O	O	T	S	I	M
M	F	F	M	H	Z	M	T	F
B	M	Y	K	S	X	L	M	M

book
brook
cook
crook
hook

look
mistook
rook
shook
took

OO Sounds

as in "moose"

M	W	H	Y	T	G	L	L	R
O	H	N	T	M	O	O	T	C
O	Z	O	O	O	O	B	H	L
N	W	O	C	T	M	O	F	G
D	S	P	H	F	O	O	R	P
E	H	S	G	O	O	S	E	M
Z	L	O	T	Y	L	H	V	P
Z	C	N	O	Q	B	B	N	J
R	C	K	F	P	K	J	R	Q

bloom
cool
goose
hoop
moon

moose
proof
room
spoon
tool

BL Sounds

F	L	B	L	E	E	D	C	L
T	F	Q	L	K	T	L	T	C
N	T	U	K	N	S	Q	G	W
D	N	O	L	B	A	Y	C	L
B	J	T	L	B	L	D	E	B
B	L	I	O	R	B	Z	E	L
Q	N	E	T	L	A	Y	U	I
D	T	K	S	L	B	G	L	M
R	J	P	B	S	L	C	B	P

blast	blind
blaze	blond
bleed	blot
bless	blue
blimp	bluff

BR Sounds

B	R	O	O	M	D	K	D	B
B	K	E	D	I	R	B	R	E
R	C	Z	A	M	L	E	K	P
E	L	R	F	Q	W	O	J	R
A	B	G	T	B	R	L	T	R
D	B	A	D	B	R	A	K	E
Y	R	R	J	V	V	A	J	Q
Y	F	B	G	F	B	Y	N	G
Z	N	H	S	U	R	B	W	D

brag
braid
brake
brand
bread

brew
bride
broke
broom
brush

CH Sounds

C	N	K	Q	C	R	C	Z	G
D	L	I	H	C	H	K	K	T
L	C	H	A	R	T	A	E	X
E	K	R	G	R	P	G	S	J
C	R	N	T	I	N	C	D	E
H	H	O	U	A	Z	H	T	M
E	K	E	H	H	L	E	N	F
E	D	C	S	C	C	A	X	R
R	G	V	H	T	X	T	D	K

chair	cheer
change	chest
chart	child
chase	chore
cheat	chunk

CK Sounds

R	V	D	F	V	H	K	R	X
Z	L	N	R	L	C	Y	L	R
D	E	C	K	U	E	X	O	K
P	K	H	L	C	G	C	C	F
M	C	C	K	P	U	I	K	P
C	I	T	C	K	W	R	A	H
K	R	K	O	R	M	C	T	R
L	T	W	L	Z	K	W	N	S
K	B	K	B	K	C	A	N	S

lock	pack
cluck	snack
deck	struck
fleck	trick
lock	wick

CL Sounds

C	D	C	K	M	J	X	C	K
N	L	L	E	N	O	L	C	P
M	B	I	T	D	O	K	S	B
A	G	P	C	A	U	A	W	U
L	Y	R	K	K	L	O	V	L
C	R	N	M	C	K	L	L	C
P	P	C	L	U	M	P	R	C
Y	Y	C	L	E	A	R	B	X
H	P	H	B	P	D	L	W	M

clam
clasp
clear
click
clip

cloak
clone
cloud
club
clump

CR Sounds

Q	W	D	C	R	U	S	T	C
R	J	K	K	B	N	V	R	K
Q	N	P	O	R	C	I	K	W
C	R	E	A	M	S	N	H	C
R	R	N	L	P	T	Z	T	E
I	R	E	W	J	F	N	Z	D
M	G	H	E	O	A	A	L	U
E	F	M	N	K	R	K	V	R
R	N	N	Z	C	C	C	G	C

craft
craze
cream
creek
crime

crisp
crop
crown
crude
crust

DR Sounds

L	L	Y	X	C	N	D	R	R
Q	N	L	O	O	R	D	C	D
J	T	Y	D	I	L	Y	M	D
M	F	F	V	R	R	X	G	R
U	A	E	P	D	E	A	V	I
R	R	R	C	O	R	S	M	N
D	D	T	G	D	R	L	S	K
D	R	E	A	M	W	D	F	P
P	M	N	V	J	B	L	F	R

draft
drag
dream
dress
drink

drive
drool
drop
drum
dry

FL Sounds

F	N	C	X	R	F	C	T	G
F	L	Y	Q	F	R	L	T	A
M	T	E	F	Y	F	F	H	L
H	F	L	E	D	L	U	K	F
S	L	R	K	O	B	S	L	R
U	I	P	A	M	A	B	F	F
L	N	T	F	L	Q	H	R	N
F	G	N	F	W	C	N	L	M
J	R	E	W	O	L	F	K	R

flag
flask
fled
flee
fling

float
flower
fluff
flush
fly

FR Sounds

H	W	F	J	T	T	R	F	L
L	B	R	R	N	S	R	H	I
R	Y	I	R	E	I	O	G	A
T	P	G	N	S	S	Y	R	R
I	Q	H	K	M	A	H	Q	F
U	K	T	Y	R	C	P	T	T
R	L	R	F	R	E	E	Z	E
F	F	Y	K	K	B	H	K	Y
N	G	X	V	B	G	O	R	F

frail
fray
freeze
fresh
fright

frisk
frog
frost
fruit
fry

GL Sounds

M	G	G	M	N	K	X	P	M
B	L	N	L	V	L	N	K	D
J	O	K	N	I	E	Y	G	A
M	B	H	S	R	T	L	L	L
B	E	B	A	S	O	T	Q	G
W	R	L	M	O	O	P	E	L
O	G	N	M	E	U	L	G	R
L	G	L	I	D	E	L	G	P
G	C	N	Q	Y	R	O	L	G

glad
glare
glide
glitter
globe

gloom
glory
gloss
glow
glue

GR Sounds

T	K	G	L	E	G	W	K	B
T	X	B	R	R	P	E	B	Y
L	K	X	I	E	D	O	A	Y
W	X	P	B	A	E	V	R	H
O	E	U	R	C	H	N	G	G
R	R	G	K	R	T	D	T	K
G	T	R	M	O	O	R	G	B
G	M	I	G	R	A	P	E	M
M	G	D	L	D	G	B	L	P

grab
grade
grape
green
grid

gripe
groom
grope
growl
grub

KN Sounds

P	L	Z	W	Q	T	C	K	N
K	N	E	A	D	K	P	C	G
Q	K	B	Z	K	N	C	A	D
V	R	N	N	V	E	K	N	T
H	C	I	E	E	W	Z	K	O
B	F	W	V	E	W	N	R	N
E	O	A	K	O	L	W	T	K
R	N	N	N	T	X	K	N	L
K	V	K	K	K	T	I	N	K

knack	knife
knave	knit
knead	knob
kneel	knot
knew	know

NG Sounds

K	B	L	Y	J	M	G	T	C
W	N	R	K	J	R	N	H	R
M	G	L	F	G	J	A	T	F
C	N	N	N	A	N	B	K	L
J	U	I	I	G	N	Z	T	U
V	R	L	J	W	J	G	G	N
B	T	G	N	I	R	X	T	G
K	S	G	C	L	I	N	G	X
G	N	O	R	T	S	V	P	Y

bang
bring
cling
fang
flung
hang
ring
strong
strung
wing

NK Sounds

Z	N	K	N	A	P	S	R	L
T	J	F	Z	H	M	R	L	K
K	K	U	W	D	R	A	N	K
N	P	D	N	K	L	A	K	P
A	L	K	J	K	R	P	K	R
Y	I	N	K	C	U	N	R	C
R	N	I	Z	N	I	R	K	F
N	K	L	K	W	A	F	L	J
Q	X	B	T	T	M	T	K	L

blink
crank
drank
junk
link
punk
spank
tank
wink
yank

PL Sounds

```
X G P L A S T E R
K C U L P M R P H
K L K L P R L H S
X K O N P L T Y U
L W X I C N E M L
M G Y A A P N A P
Y L F L J L N H D
P N P P V O W H C
Y Z Y W P T K T Y
```

plain   plow
plant   pluck
plaster plug
plead   plush
plot   ply

PH Sounds

L	O	F	G	T	K	E	P	F
K	L	T	W	N	K	S	H	V
J	T	Q	O	A	C	A	O	P
P	Y	N	O	H	P	R	N	H
V	H	C	P	P	P	H	I	E
M	B	A	H	E	V	P	C	W
L	R	O	S	L	T	N	S	Z
G	N	X	V	E	R	Z	W	F
E	P	H	A	N	T	O	M	W

elephant
graph
phantom
phase
phew
phone
phonics
phony
photo
phrase

PR Sounds

L	M	L	B	Y	P	V	V	R
D	L	K	A	C	R	K	Y	E
Y	D	R	M	P	I	N	P	N
P	P	U	R	L	N	A	Z	U
Y	R	O	O	Y	T	R	R	R
L	B	I	R	R	T	P	C	P
E	X	P	M	Y	P	M	C	B
T	G	P	R	E	T	E	N	D
D	O	R	P	R	K	W	L	M

prank	probe
pray	prod
pretend	proud
prime	prune
print	pry

QU Sounds

L	L	I	U	Q	L	T	L	T
Q	Y	Q	U	A	K	E	N	G
U	Q	G	N	Q	R	I	L	Q
O	W	U	U	B	A	L	U	U
T	P	I	A	U	T	E	P	E
E	R	D	Q	R	L	I	P	E
K	Q	A	L	L	T	J	U	R
W	W	U	R	D	X	E	R	Q
C	T	Q	H	W	J	Y	R	T

quad
quaint
quake
quarter
queer

quell
quill
quirk
quit
quote

SC Sounds

F	Y	M	N	T	W	J	K	K
Q	P	K	A	B	J	T	P	S
R	H	E	C	N	U	O	C	F
S	F	B	S	R	O	R	F	Q
C	C	I	J	C	E	U	C	G
R	R	R	S	W	C	T	M	S
E	M	C	A	S	N	P	N	L
A	T	S	T	P	I	R	C	S
M	S	C	O	R	E	W	R	Z

scan	screw
scoop	scribe
score	script
scrape	scrub
scream	scuff

SH Sounds

E	N	I	R	H	S	K	P	N
S	T	S	H	I	N	Y	L	E
H	L	H	J	S	B	S	H	Y
R	Q	O	R	P	H	S	N	M
U	H	U	B	R	L	O	R	P
N	K	T	E	A	R	D	R	R
K	W	D	S	H	O	C	K	T
B	M	J	X	S	M	M	Q	K
X	K	B	U	R	H	S	B	M

sharp	shout
she	shred
shin	shrine
shock	shrub
short	shrunk

SK Sounds

S	K	I	L	Y	C	Q	F	K
K	L	E	H	L	C	G	J	N
I	W	T	J	V	U	N	R	U
L	L	A	N	S	H	K	H	K
L	K	K	Z	C	K	H	S	S
E	X	S	T	S	M	I	Y	Y
T	C	E	K	J	Z	K	D	T
Z	K	I	R	C	S	N	R	Y
S	M	T	I	K	S	M	P	R

skate
sketch
ski
skid
skillet

skim
skit
skull
skunk
sky

SL Sounds

D	M	B	C	T	I	L	S	X
S	J	P	N	F	B	V	G	Q
L	S	D	O	S	A	W	U	L
I	L	L	L	L	L	T	L	D
C	U	I	E	J	S	J	S	E
E	M	M	N	E	D	G	V	K
E	P	Q	R	N	T	A	F	L
W	S	L	E	D	L	Y	R	W
K	M	K	R	S	M	Y	M	K

slab
slave
sled
sleet
slice
slime
slit
slop
slug
slump

SM Sounds

N	X	S	H	G	M	D	K	C
S	C	N	M	S	Z	B	K	R
M	R	N	M	E	T	R	L	R
I	H	U	S	R	A	P	L	M
R	G	M	A	F	Q	R	A	N
K	O	M	D	E	K	O	M	S
G	S	E	G	D	U	M	S	C
L	X	S	M	A	S	H	T	Z
M	H	C	O	O	M	S	N	L

small
smart
smash
smear
smirk

smog
smoke
smooch
smudge
smug

SN Sounds

K	C	U	N	S	S	R	V	B
V	H	L	Y	L	N	G	R	U
T	X	S	R	T	I	Q	S	N
C	U	A	N	X	P	N	V	S
M	N	O	C	E	O	N	Q	P
S	N	G	N	B	E	M	T	X
L	L	A	V	S	K	R	T	M
H	L	N	Q	S	N	E	A	K
T	H	S	T	R	O	N	S	Z

snag
snarl
sneak
sneer
snip

snob
snort
snout
snub
snuck

SP Sounds

M	S	P	E	E	D	X	G	R
C	K	B	J	K	O	O	P	S
N	F	N	A	N	J	T	C	R
K	I	E	U	A	T	G	Q	S
S	P	A	K	P	K	P	Y	P
S	P	N	R	S	S	F	A	I
Z	T	E	P	P	F	F	R	C
L	Y	I	L	Z	S	M	P	E
R	N	N	W	L	L	N	S	R

span	spin
speak	spook
speed	sprain
spell	spray
spice	spunk

ST Sounds

F	S	T	E	A	M	E	L	V
Q	L	Z	G	K	G	N	W	P
Z	P	F	P	A	I	S	W	M
S	R	T	T	C	T	R	R	U
T	L	S	N	O	B	Y	T	T
I	P	S	O	U	A	Q	L	S
L	W	L	T	R	T	K	X	J
L	F	P	Y	E	S	S	L	M
K	R	O	T	S	W	N	N	T

stab	stool
stage	stork
steam	strike
stew	stump
still	stunt

SW Sounds

L	S	W	E	A	T	E	R	P
D	R	T	F	X	J	W	G	Q
D	N	I	P	G	N	I	W	S
X	A	X	W	E	R	T	W	S
M	W	S	R	S	A	I	W	W
I	S	O	W	W	N	Y	G	E
W	W	N	S	E	P	W	Z	E
S	M	C	R	X	E	G	H	T
M	N	L	X	M	D	P	H	T

swan
swat
sweater
sweep
sweet

swim
swine
swing
swirl
swore

TH Sounds

Q	H	E	S	O	H	T	W	T
N	H	X	L	W	M	E	Y	H
X	E	K	R	E	V	N	M	I
T	T	E	H	F	T	O	W	R
A	F	T	T	H	T	R	L	D
O	E	C	I	R	B	H	X	N
R	H	S	L	T	I	T	E	M
H	T	W	R	V	T	H	Z	Y
T	T	H	E	S	E	F	T	V

theft
them
these
they
third

thirteen
this
those
throat
throne

TR Sounds

J	V	K	T	T	M	C	L	Y
N	L	R	K	R	K	M	N	M
J	I	V	R	I	T	O	R	T
M	K	T	K	B	X	L	H	D
T	T	N	R	E	T	S	Q	L
S	R	Z	U	E	A	X	Y	I
U	O	N	H	R	N	N	P	A
R	O	V	T	H	T	D	F	R
T	P	M	R	T	R	A	Y	T

trail
trash
tray
trend
tribe

trim
troop
trot
trunk
trust

TW Sounds

L	M	T	L	T	Y	F	P	M
T	R	H	W	W	T	E	T	B
T	F	I	T	I	V	T	W	F
S	N	G	W	L	C	E	I	T
I	Y	B	E	T	P	E	T	T
W	R	W	F	Z	F	W	C	W
T	T	X	R	Z	M	T	H	I
M	M	T	W	E	N	T	Y	G
Q	K	E	L	K	N	I	W	T

tweet
twelve
twenty
twice
twig

twin
twinkle
twirl
twist
twitch

WH Sounds

W	L	E	L	L	Y	T	F	W
H	K	L	R	V	A	H	W	H
I	T	T	F	H	W	H	W	I
S	K	S	W	C	I	H	G	R
K	X	I	Y	T	E	M	E	L
E	K	H	E	Q	L	C	N	N
R	Q	W	H	E	A	T	K	C
O	H	W	D	W	H	N	B	G
M	V	H	N	J	W	Y	Q	Z

whale
what
wheat
when
whirl
whisker
whistle
white
who
why

WR Sounds

X	E	T	O	R	W	X	H	M
J	R	L	L	W	D	T	H	W
W	T	E	R	R	A	M	R	W
G	R	C	L	E	F	I	J	R
N	R	E	R	K	S	Y	K	I
O	V	W	N	T	N	C	P	N
R	W	R	E	C	K	I	A	G
W	R	V	K	R	H	M	R	Z
H	Y	R	E	T	I	R	W	W

wrap	wrinkle
wreath	wrist
wreck	writer
wrench	wrong
wring	wrote

Short A Sounds

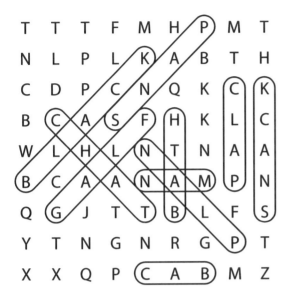

Long A Sounds

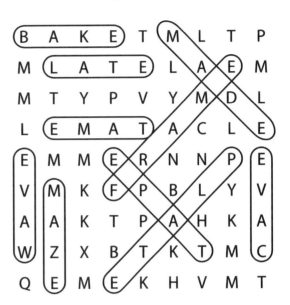

Long A Sounds ("ai")

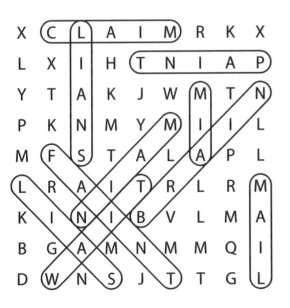

Long A Sounds ("ay")

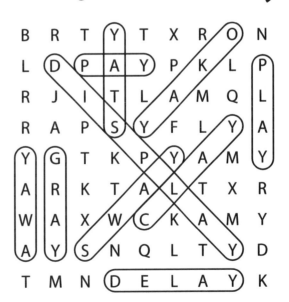

Short E Sounds

K	Z	C	W	P	S	Y	B	M
M	M	M	L	E	R	D	V	D
H	X	X	Y	T	M	D	T	M
E	X	H	L	K	F	E	L	L
L	L	E	E	X	R	T	L	M
P	B	L	D	L	T	S	E	R
H	L	R	E	R	L	S	Q	W
F	M	R	B	M	S	O	Y	D
M	X	F	T	Y	S	V	L	K

Long E Sounds ("ea")

L	J	H	F	T	D	Z	F	Q
M	K	R	M	L	A	L	R	L
K	R	A	E	H	E	E	N	A
G	E	A	L	C	R	A	M	E
T	P	L	H	A	M	F	N	S
L	N	D	Y	E	E	A	C	H
H	L	W	N	B	E	M	N	J
K	A	E	M	L	R	D	Y	N
R	M	V	C	X	F	T	V	V

Long E Sounds ("ee")

R	Y	F	K	P	G	X	W	Y
F	J	E	P	N	E	E	S	L
K	E	H	M	S	P	E	K	M
W	E	M	E	L	E	M	H	M
T	Y	E	E	T	E	E	K	S
E	D	E	P	N	R	E	X	K
E	F	J	N	Q	C	T	T	P
H	C	F	E	E	T	H	Z	T
S	M	F	B	W	V	D	K	R

Short I Sounds

Q	F	T	G	C	L	Y	F	N
K	F	N	K	T	X	Q	K	P
Z	I	I	B	X	K	L	I	Z
B	N	P	G	N	T	L	C	N
G	S	X	I	Q	F	F	K	N
K	F	H	B	H	L	I	I	T
Z	T	M	P	K	S	H	L	Z
G	I	P	L	L	C	Q	L	L
C	R	I	B	Y	M	D	Z	C

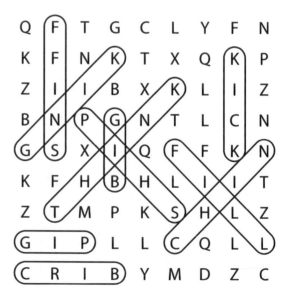

Long I Sounds

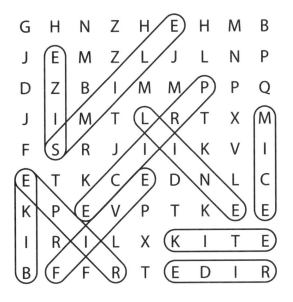

Short O Sounds

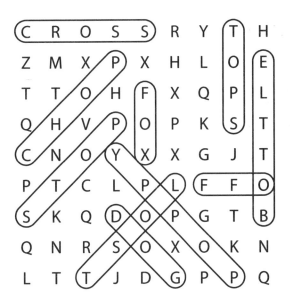

Long O Sounds

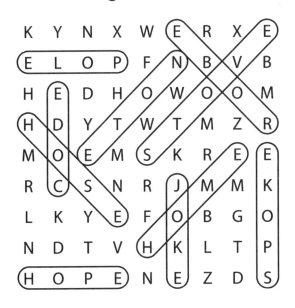

Long O Sounds ("oa")

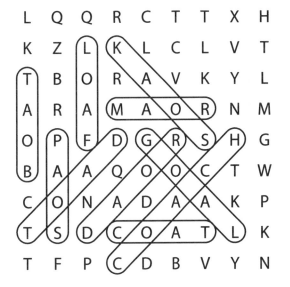

Short U Sounds

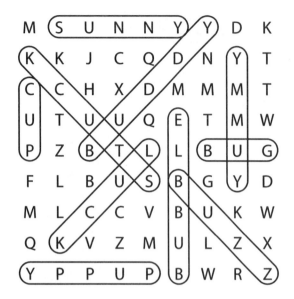

Long U Sounds

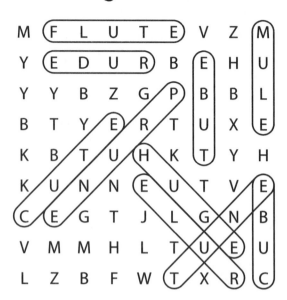

OO Sounds ("book")

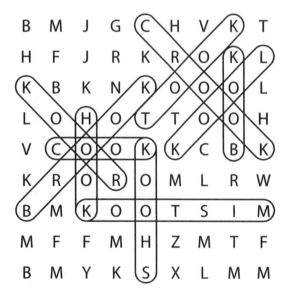

OO Sounds ("moose")

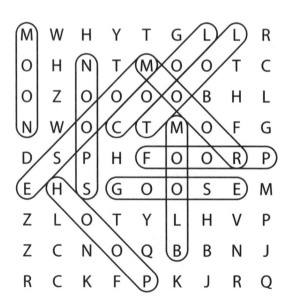

BL Sounds

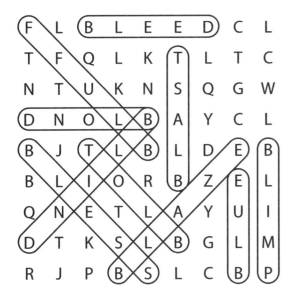

BR Sounds

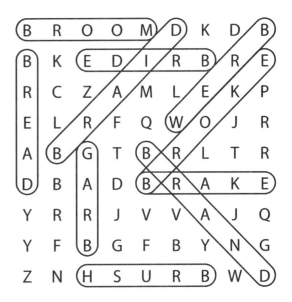

CH Sounds

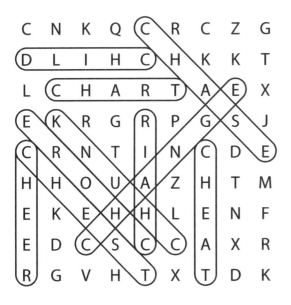

CK Sounds

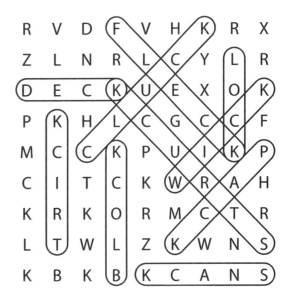

CL Sounds

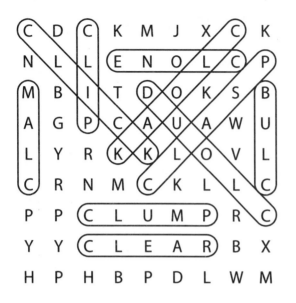

CR Sounds

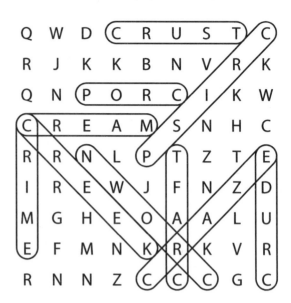

DR Sounds

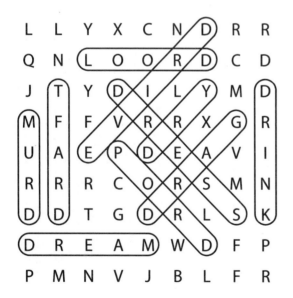

FL Sounds

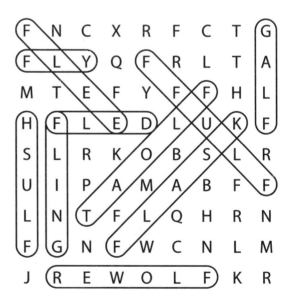

FR Sounds

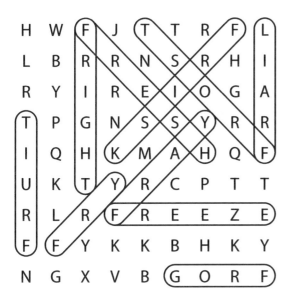

GL Sounds

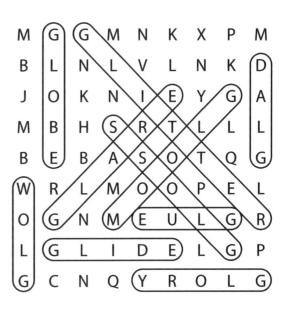

GR Sounds

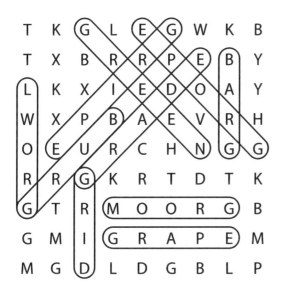

KN Sounds

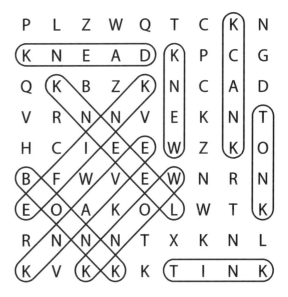

NG Sounds

K	B	L	Y	J	M	G	T	C
W	N	R	K	J	R	N	H	R
M	G	L	F	G	J	A	T	F
C	N	N	N	A	N	B	K	L
J	U	I	I	G	N	Z	T	U
V	R	L	J	W	J	G	G	N
B	T	G	N	I	R	X	T	G
K	S	G	C	L	I	N	G	X
G	N	O	R	T	S	V	P	Y

NK Sounds

Z	N	K	N	A	P	S	R	L
T	J	F	Z	H	M	R	L	K
K	K	U	W	D	R	A	N	K
N	P	D	N	K	L	A	K	P
A	L	K	J	K	R	P	K	R
Y	I	N	K	C	U	N	R	C
R	N	I	Z	N	I	R	K	F
N	K	L	K	W	A	F	L	J
Q	X	B	T	T	M	T	K	L

PL Sounds

X	G	P	L	A	S	T	E	R
K	C	U	L	P	M	R	P	H
K	L	K	L	P	R	L	H	S
X	K	O	N	P	L	T	Y	U
L	W	X	I	C	N	E	M	L
M	G	Y	A	A	P	N	A	P
Y	L	F	L	J	L	N	H	D
P	N	P	P	V	O	W	H	C
Y	Z	Y	W	P	T	K	T	Y

PH Sounds

L	O	F	G	T	K	E	P	F
K	L	T	W	N	K	S	H	V
J	T	Q	O	A	C	A	O	P
P	Y	N	O	H	P	R	N	H
V	H	C	P	P	P	H	I	E
M	B	A	H	E	V	P	C	W
L	R	O	S	L	T	N	S	Z
G	N	X	V	E	R	Z	W	F
E	P	H	A	N	T	O	M	W

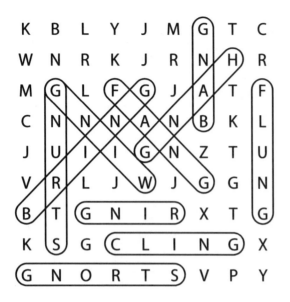

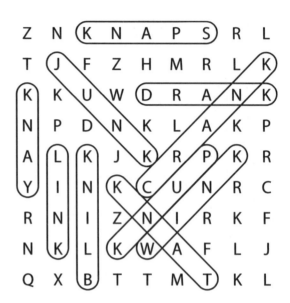

PR Sounds

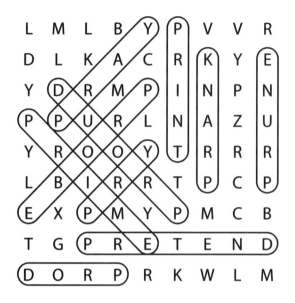

QU Sounds

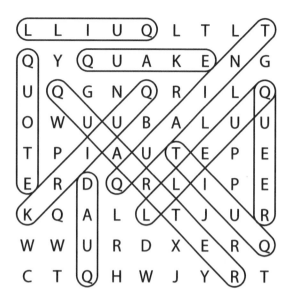

SC Sounds

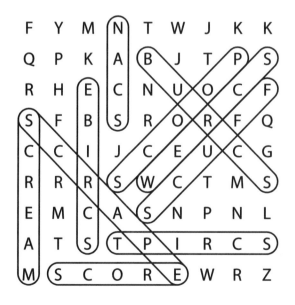

SH Sounds

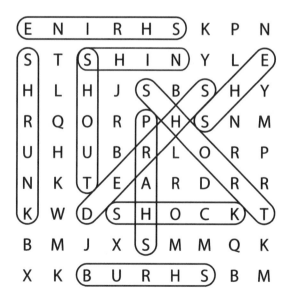

SK Sounds

S	K	I	L	Y	C	Q	F	K
K	L	E	H	L	C	G	J	N
I	W	T	J	V	U	N	R	U
L	L	A	N	S	H	K	H	K
L	K	K	Z	C	K	H	S	S
E	X	S	T	S	M	I	Y	Y
T	C	E	K	J	Z	K	D	T
Z	K	I	R	C	S	N	R	Y
S	M	T	I	K	S	M	P	R

SL Sounds

D	M	B	C	T	I	L	S	X
S	J	P	N	F	B	V	G	Q
L	S	D	O	S	A	W	U	L
I	L	L	L	L	L	T	L	D
C	U	I	E	J	S	J	S	E
E	M	M	N	E	D	G	V	K
E	P	Q	R	N	T	A	F	L
W	S	L	E	D	L	Y	R	W
K	M	K	R	S	M	Y	M	K

SM Sounds

N	X	S	H	G	M	D	K	C
S	C	N	M	S	Z	B	K	R
M	R	N	M	E	T	R	L	R
I	H	U	S	R	A	P	L	M
R	G	M	A	F	Q	R	A	N
K	O	M	D	E	K	O	M	S
G	S	E	G	D	U	M	S	C
L	X	S	M	A	S	H	T	Z
M	H	C	O	O	M	S	N	L

SN Sounds

K	C	U	N	S	S	R	V	B
V	H	L	Y	L	N	G	R	U
T	X	S	R	T	I	Q	S	N
C	U	A	N	X	P	N	V	S
M	N	O	C	E	O	N	Q	P
S	N	G	N	B	E	M	T	X
L	L	A	V	S	K	R	T	M
H	L	N	Q	S	N	E	A	K
T	H	S	T	R	O	N	S	Z

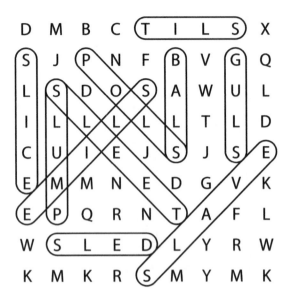

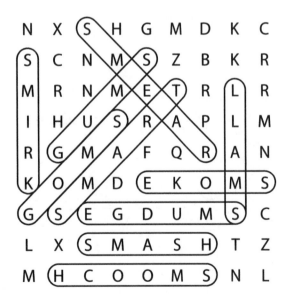

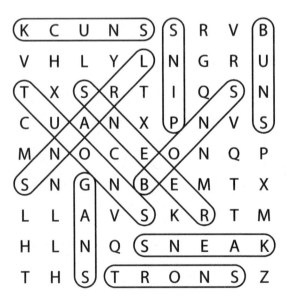

SP Sounds

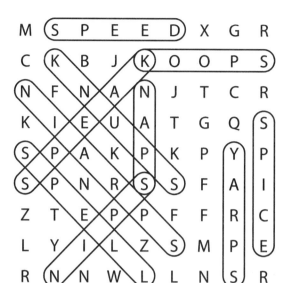

ST Sounds

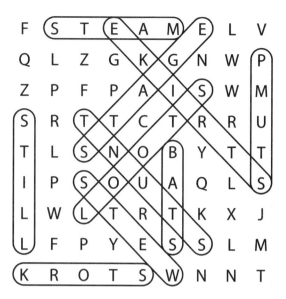

SW Sounds

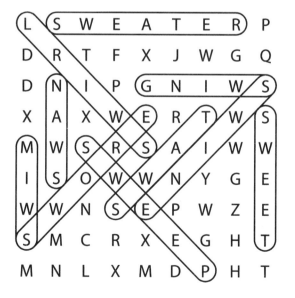

TH Sounds

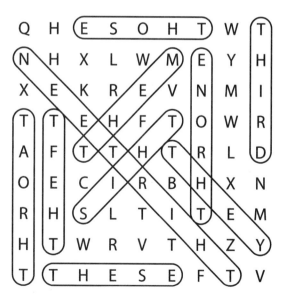

TR Sounds

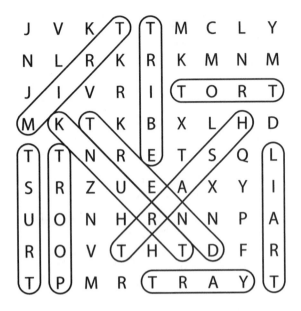

TW Sounds

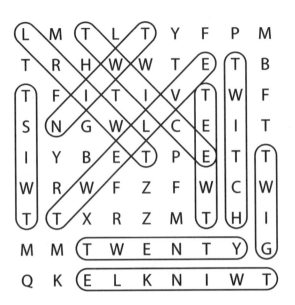

WH Sounds

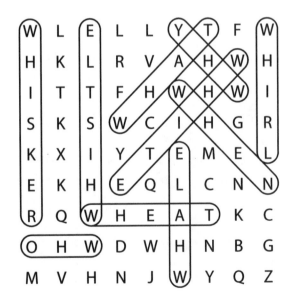

WR Sounds

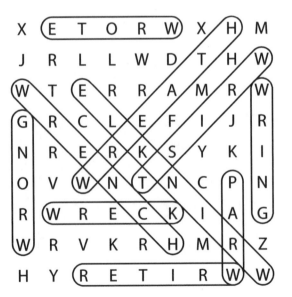